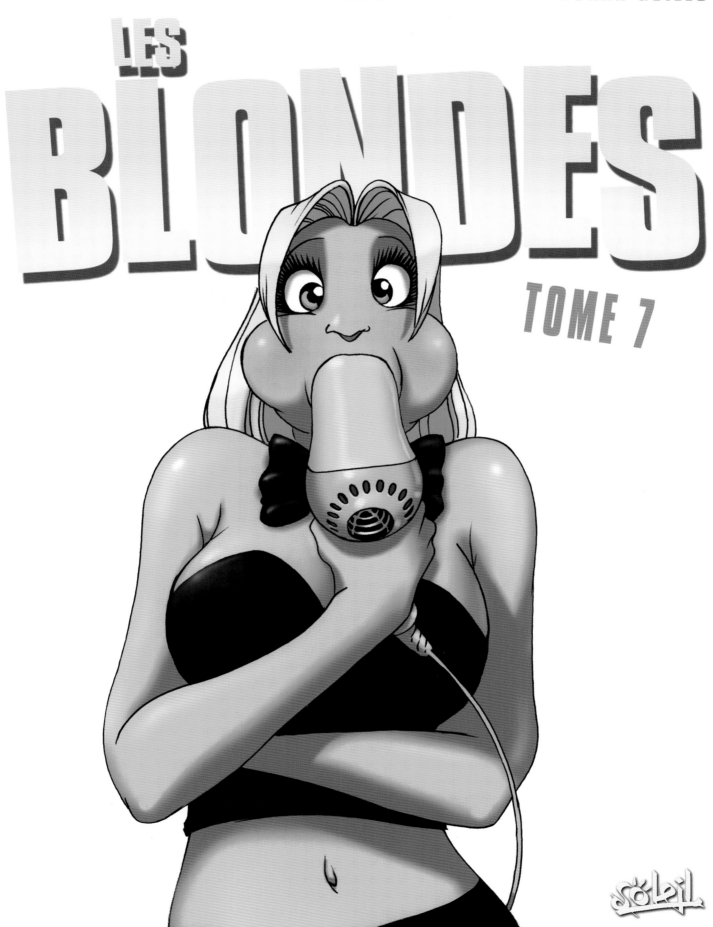

Celui-là, il est pour Dominique.

AIRE DE RIEN

PHOTO TROP CLASSE

ALLEZ, MESDEMOISELLES, DÉPÊCHEZ-VOUS, NE FAITES PAS ATTENDRE LE PHOTOGRAPHE.

SOIGNEZ-LA, C'EST LA PHOTO DE FIN DE PROMO, LA PHOTO DU DIPLÔME !

JE CONNAIS MON MÉTIER, MA PETITE DAME, JE FAIS CETTE PHOTO CHAQUE ANNÉE !

OUI, MAIS JUSTEMENT, VOUS POURRIEZ PEUT-ÊTRE CHANGER DE...

ÉCOUTEZ, JE NE VOUS EXPLIQUE PAS COMMENT CORRIGER LES COPIES, ALORS LAISSEZ-MOI PRENDRE LA PHOTO COMME JE VEUX...

... MESSAGE ?

MESDEMOISELLES ? SOURIEZ ET REGARDEZ LE PETIT OISEAU.

ALORS, ELLE EST RÉUSSIE ?

2004

2005

2007

1998

COMME LES AUTRES...

GatyeZack

4

ÉTIENNE ÉTIENNE ÉTIENNE

AH, VOUS ÊTES LÀ !

ALORS, QU'EST-CE QUE VOUS AVEZ FAIT ?

ON ÉTAIT SUR LA POINTE, PRÈS DE LA FALAISE...

TU ME TIENS, HEIN... OH, J'AI VU UN PINGOUIN !

ON DIT PAS UN PINGOUIN, ON DIT UN MANCHOT !

NON, NON, ELLE A RAISON, ICI, EN BRETAGNE, CE SONT DES PINGOUINS. DES ALCA TORDA.

C'EST PAS POSSIBLE ! J'EN AI VU UN QUI VOLE ! ÇA VOLE PAS LES PINGOUINS !

SI, SI, LES PINGOUINS VOLENT TRÈS BIEN, CE SONT LES MANCHOTS QUI NE VOLENT PAS.*

REGARDEZ, ON VOIT LES NIDS, EN BAS. ATTENTION, TENEZ-VOUS BIEN, SURTOUT.

* ET EN PLUS, C'EST VRAI...

ET ALORS ? COMMENT VOUS ÊTES ARRIVÉES LÀ ?

ON L'A BIEN ÉCOUTÉE...

TU ME TIENS BIEN, HEIN ?

OUI, TOI AUSSI !

Gaby + Dzack

ÉCHANGE STANDARD

TU AS DES NOUVELLES DE LAURENCE ? ELLE A TROUVÉ UN EMPLOI ?

PENSES-TU, PAS ENCORE... MAIS ANGE-OLIVIER A UN COPAIN QUI TIENT UN DÉPÔT-VENTE ET IL LUI A TROUVÉ UNE PLACE, EN ATTENDANT...

PFFF... C'EST VRAI ? C'EST PAS COOL, JE TROUVE...

POURQUOI ?

BEN, IL VOUDRAIT SE DÉBARRASSER DE LAURENCE QU'IL FERAIT PAS MIEUX, HEIN... IL AURAIT PU AU MOINS ESSAYER DE FAIRE DU TROC.

OU DE METTRE UNE ANNONCE SUR EBAY... C'EST TOUT DE MÊME PLUS HUMAIN.

Gaby + Dzack

LES MINI BLONDES   MAUX D'ENFANTS

Coloriage

TATA ! TATA !

OUI, MA CHÉRIE ?

J'AI MAL AUX YEUX !! IL FAUT QUE TU M'EMMÈNES CHEZ LE ZYEUTISTE !

D'ACCORD, JE T'EMMÈNE CHEZ L'OCCULISTE.

Gaby + Dzack

TATA, TU DIS VRAIMENT N'IMPORTE QUOI ! J'AI DIT QUE J'AVAIS MAL AUX YEUX ! JE VEUX ALLER CHEZ LE ZIEUTISTE, PAS CHEZ L'OCCULISTE !

SI J'AVAIS MAL LÀ, JE TE L'AURAIS DIT...

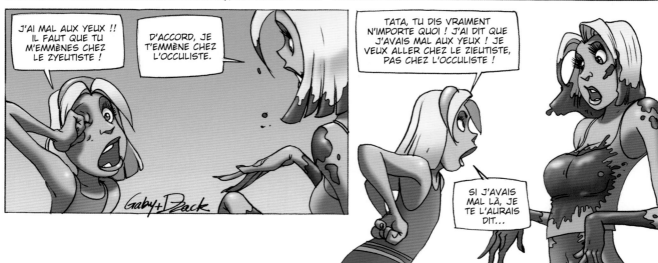

VACANCES À L'ITALIENNE

HOUHOU ! ANNE !

BONJOUR, MA CHÉRIE !

BIZ

ALORS, TU ES RENTRÉE DE WEEK-END ?

OH, TU ES PARTIE OÙ ?

EN ITALIE ! ON EST PARTIS EN TOSCANE !

AH BON, VOUS N'AVEZ PLUS VOTRE MÉGANE ?

ELLE ÉTAIT BIEN, ELLE AVAIT L'AIR CONDITIONNÉ...

TOSCANE, PAS MÉGANE. TOSCANE, C'EST UNE RÉGION D'ITALIE. MÉGANE, C'EST UNE VOITURE.

AH, VOUS AVEZ ENCORE VOTRE MÉGANE, ALORS ?

ET VOUS ÉTIEZ À L'HÔTEL ?

NON, ON NE VOULAIT PAS TROP DÉPENSER D'ARGENT, ALORS ON A LOGÉ CHEZ L'HABITANT.

CHEZ L'HABITANT ? IL N'Y A QU'UN SEUL HABITANT ? ÇA DOIT ÊTRE VRAIMENT UN TOUT PETIT PAYS.

C'EST SÛREMENT POUR ÇA QU'IL A UN NOM DE VOITURE.

COURS LAPINE COURS

J'AI DÉCIDÉ DE PRÉSENTER MES INVENTIONS AU CONCOURS LÉPINE !

D'ACCORD, MAIS POURQUOI ?

J'AIME BIEN LE NOM.

ET TU AS INVENTÉ QUOI ?

UN TRUC TERRIBLE ! TU SAIS CE QUI EST LE PLUS LOURD QUAND ON PART EN RANDONNÉE ?

LA RANDONNÉE ?

NON, T'ES BÊTE ! C'EST L'EAU !

C'EST SUPER LOURD, L'EAU !

ALORS MOI... HEU... MOI...HEU...

VANESSA...

C'EST ÇA, VANESSA, J'AI TROUVÉ COMMENT RÉDUIRE LE POIDS DE L'EAU.

IL SUFFIT DE LA DÉSHYDRATER !

C'EST POUR ÇA QUE MOI, J'AI INVENTÉ L'EAU EN POUDRE !

UNE CUILLÈRE D'EAU EN POUDRE DANS LA BOUTEILLE...

ON RAJOUTE DE L'EAU...

... ET, TADAAAA ! C'EST DE L'EAU !

ET TU TROUVES PAS QU'IL Y A UN PROBLÈME DANS TON INVENTION ?

PAS DU TOUT ! ÇA S'EST JAMAIS FAIT ! JE VAIS GAGNER LE CONCOURS !

À MOI, LÉPINE !

LES ENFANTS, JE VOUS PRÉSENTE MADEMOISELLE VANESSA QUI VA VOUS SURVEILLER LE TEMPS QUE JE PASSE LA VISITE MÉDICALE.

VOUS LUI DITES BONJOUR ?

BONJOUR MADEMOISELLE VANESSA !

VOUS N'AUREZ PAS DE PROBLÈMES, ILS SONT GENTILS.

ALORS, LES ENFANTS, COMMENT VOUS VOUS APPELEZ ?

JEAN, MADEMOISELLE.

ANNE, MADEMOISELLE.

GEOFFROY, MADEMOISELLE.

CHRISTIAN, MADEMOISELLE.

GÉRARD, MADEMOISELLE.

MOURAD, MADEMOISELLE.

D'ACCORD...

TOUT S'EST BIEN PASSÉ ?

C'ÉTAIT PARFAIT, SAUF LE PETIT, LÀ...

IL EST GENTIL, MAIS IL FAUDRAIT TOUT DE MÊME FAIRE QUELQUE CHOSE POUR LUI...

... JE LUI AI DEMANDÉ PLUSIEURS FOIS, MAIS IL NE CONNAÎT PAS SON PRÉNOM...

Gaby + Dzack

TÉLÉPHONE PUBLIC

HAHAHA !

ET ALORS ? IL T'A DIT QUOI ?

NON...!!!

HAHAHA !

QU'EST-CE QU'IL DIT ?

COLLE TON OREILLE POUR ÉCOUTER...

HIN... HIN...

OH NON ! IL EST TROP NAZE !

HAHAHA !

ANIMAL FAMILIER

BONJOUR, MADEMOISELLE, JE VOUDRAIS UN CHIEN POUR MON FILS.

JE SUIS NAVRÉE, MADAME, J'AURAIS VOULU VOUS AIDER, MAIS NOUS NE FAISONS PAS LES ÉCHANGES DANS CE MAGASIN.

VOUS DEVRIEZ PEUT-ÊTRE ESSAYER DANS UN DÉPÔT-VENTE ?

POSTE RESTANTE

11

PAF LA VOITURE

BONJOUR, MONSIEUR, J'AI UN PROBLÈME AVEC LA VOITURE QUE JE VIENS D'ACHETER.

MAIS BIEN SÛR, MADEMOISELLE, JE VAIS VOIR ÇA.

G. Lagagne concessionnaire d'occasions automobiles

G. Lagagne concessionnaire d'occasions automobiles

ELLE NE MARCHE PLUS. JE SUIS ENTRÉE SUR L'AUTOROUTE ET ELLE A EXPLOSÉ.

QUE...

ÉCOUTEZ, UN TEL ACCIDENT EST IMPOSSIBLE. JE VAIS VOUS ACCOMPAGNER DANS CETTE VOITURE D'ESSAI. REFAITES EXACTEMENT LA MÊME CHOSE.

D'ACCORD.

JE REGARDE DANS LE RÉTROVISEUR, ÇA VA, JE SUIS BIEN MAQUILLÉE, ET JE PASSE LE PETIT 1, C'EST LA PREMIÈRE.

POUR L'INSTANT, RIEN D'ANORMAL...

ET LÀ, JE SUIS SUR LE PETIT 3 SUR LE LEVIER DE VITESSE, C'EST LA TROISIÈME.

JE VISE LE PETIT 4 ET JE PASSE LA QUATRIÈME...

JE PASSE LA CINQUIÈME, PARCE QU'IL Y A...

UN PETIT 5 ? C'EST ÇA...

ALORS ? IL NE S'EST RIEN PASSÉ, CETTE FOIS CI...

C'EST PARCE QUE JE NE VAIS PAS ASSEZ VITE. JE POUSSE LE MOTEUR...

... ET JE PASSE LE PETIT R, DE RALLYE, LÀ...

Gaby + Zack

KRAK!

SAUT DE L'ANGE

POUSSEZ, POUSSEZ, PETITES FLEURS !

GLOU GLOU GLOU

POUSSEZ, POUSSEZ POUR METTRE DE LA COULEUR DANS LA VILLE !

UN COUP À GAUCHE, UN COUP À DROITE, UN COUP À GAUCHE ...

GLOU GLOU

OH, MON DIEU !

OUCH ! ÇA DOIT FAIRE MAL !

CRONCH !

PFFF... C'EST DUR QUAND MÊME... VOULOIR EN FINIR AVEC LA VIE, SI JEUNE...

JE COMPRENDS, MADE-MOISELLE, MAIS SI ÇA PEUT VOUS RASSURER, IL N'EST QUE BLESSÉ. IL S'EN SORTIRA.

IL A VRAIMENT EU DE LA CHANCE. IL AURAIT PU MOURIR SUR LE COUP.

AH NON, ÇA, C'EST PAS POSSIBLE. VOUS DITES VRAIMENT N'IMPORTE QUOI, VOUS, HEIN...

COMMENT ?

IL N'AURAIT PAS PU MOURIR SUR LE COU !

J'AI TOUT VU, IL EST TOMBÉ SUR LA TÊTE !

GARAGE HABITUEL

TÉLÉ RÉALITÉ

AGENT CONTENT

AU SECOURS !
AU SECOURS !
MONSIEUR
L'AGENT !!!

À VOTRE SERVICE, MADEMOISELLE. CALMEZ-VOUS. QUE VOUS ARRIVE-T-IL ?

LÀ ? BEN, J'AI UN PEU CHAUD QUAND MÊME... JE VIENS DE COURIR...

VOUS ÉTIEZ EN TRAIN D'APPELER AU SECOURS, MADEMOISELLE.

AH ?

AH, OUI !

AU SECOURS ! ON VIENT DE ME VOLER MA VOITURE ! FAITES QUELQUE CHOSE !

MADEMOISELLE, S'IL VOUS PLAÎT...

VOUS AVEZ VU VOTRE VOLEUR ?

NON, MAIS IL CONDUISAIT UNE MINI, COMME LA MIENNE !

S'IL L'A VOLÉE, C'EST VOTRE VOITURE, MADEMOISELLE.

AH ?

CENTRAL, ICI ZEBRA TROIS. RÉPONDEZ, CENTRAL.

VOUS AVEZ VU DANS QUELLE DIRECTION IL S'EST ENFUI ?

NON, MAIS VOUS ALLEZ ÊTRE FIER DE MOI...

J'AI EU LE TEMPS DE RELEVER LE NUMÉRO DE LA PLAQUE.

ENFIN... AU MOINS LE DÉBUT...

CENTRAL À ZEBRA TROIS, RÉPONDEZ, ZEBRA TROIS !

CONCOURS LÉPINE 2

TU SAIS, JE PRÉSENTE DES INVENTIONS AU CONCOURS LÉPINE !

OUI, ANNE M'EN A PARLÉ. CE N'ÉTAIT PAS TRÈS CONVAINCANT, NON ?

JE DOIS AMÉLIORER CERTAINS DÉTAILS, C'EST VRAI...

CHOUETTE, IL VA PLEUVOIR, JE VAIS POUVOIR TESTER MA NOUVELLE INVENTION. J'EN AI EU L'IDÉE EN REGARDANT UNE PUBLICITÉ POUR UN DÉO...

C'EST TOUT NOUVEAU, C'EST LE PARAPLUIE EN SPRAY !

QUELQUES PULVÉRISATIONS ET PLUS BESOIN DE PARAPLUIE, UN CHAMP PROTECTEUR REPOUSSE TOUTES LES MOLÉCULES LIQUIDES PENDANT QUARANTE-HUIT HEURES !

ON VA VOIR TOUT DE SUITE...

ÇA MARCHE ! ÇA MARCHE !

JE VAIS DEVENIR RICHE ! VIENS, ON VA FÊTER ÇA !

À MOI, LÉPINE !

À LA TIENNE !

CUL SEC !

FLOUTCH !

JE N'AI PAS BU UNE GOUTTE...

COMBIEN DE TEMPS TU DISAIS ?

LE SOLEIL REVIENT... ÇA VA ÊTRE LONG, HEIN...

QUARANTE-HUIT HEURES...

Gaby + Dzack

COURS FORREST COURS

ALORS, MADEMOISELLE, QUEL EST VOTRE PROBLÈME ?

DOCTEUR, LES GENS SE MOQUENT DE MOI, ILS ME TRAITENT DE BALEINE, JE VEUX MAIGRIR !

MOUI, EFFECTIVEMENT... UN PETIT RÉGIME S'IMPOSE, AINSI QU'UN PEU DE SPORT... JE VAIS VOUS FAIRE UNE ORDONNANCE.

VOUS M'AVEZ BIEN COMPRIS, N'EST-CE PAS ? VOUS SUIVEZ CE RÉGIME ET VOUS COUREZ AU MOINS DIX KILOMÈTRES PAR JOUR. DANS MOINS D'UN AN, LES GENS NE VOUS RECONNAÎTRONT PAS.

OH, MERCI DOCTEUR !

PREMIER JOUR.

SOIXANTIÈME JOUR...

TROIS CENTIÈME JOUR...

DRiiNNNG!

DOCTEUR MABOUL, J'ÉCOUTE ?

ALLÔ, DOCTEUR ? J'AI UN PROBLÈME AVEC VOTRE RÉGIME...

MAIS... COMMENT CELA ? VOUS N'AVEZ PAS MAIGRI ?

AH SI, VOUS AVIEZ RAISON, LES GENS NE ME RECONNAISSENT PAS.

MAIS JE SUIS À 3000 KILOMÈTRES DE CHEZ MOI. COMMENT JE RENTRE ?

PRÉNOM DE DIEU

BONJOUR, JE SUIS VOTRE SERVEUR, CE SOIR. SI VOUS AVEZ UN PROBLÈME, JE M'APPELLE JEAN-CLAUDE.

ET SI ON N'A PAS DE PROBLÈME, VOUS VOUS APPELEZ COMMENT ?

TCHIK TCHIK TCHIK

TU ES SÛRE ?

NON, JE TE DIS NON. JE NE VEUX PAS SORTIR AVEC LUI. CHEF DE SERVICE OU PAS CHEF DE SERVICE.

JE N'AI PAS ENVIE.

ET TU N'AS PAS PEUR DES RÉPERCUSSIONS DANS TON TRAVAIL ?

FRANCHEMENT, VOUS CROYEZ QU'IL EN SERAIT CAPABLE ?

DE QUOI ?

DE VENIR JOUER DU TAMBOURIN DANS TON BUREAU PENDANT QUE TU TRAVAILLES. OU DES CONGAS. OU DU XYLOPHONE.

LA BATTERIE, ÇA COMPTE DANS LES PERCUSSIONS ?

PARCE QUE LA BATTERIE, OUI, ÇA DÉRANGE... MAIS LES CONGAS, C'EST SYMPA...

18

CHAUFFEUR DE SALE

PFFF, JE SUIS COMPLÈTEMENT MOUILLÉE ET J'AI ENCORE DEUX KILOMÈTRES À FAIRE...

J'ESPÈRE QUE QUELQU'UN VA ME PRENDRE.

CHOUETTE ! IL N'Y A QU'À DEMANDER !

MERCI, C'EST TROP GENTIL DE VOUS ÊTRE ARRÊTÉ. JE NE VAIS PAS...

AHHH !

IL N'Y A PAS DE CONDUCTEUR !

ET POURTANT, ON ROULE. ON ROULE DOUCEMENT, MAIS ON ROULE. C'EST PEUT-ÊTRE LA VOITURE DE FANTOMAS !

BONJOUR, FANTOMAS, MOI, C'EST VANESSA !

... ET J'AI AUSSI UN POISSON, IL S'APPELLE BOUBA ET IL EST TRÈS INTELLIGENT...

OH, JE SUIS ARRIVÉE, JE CROIS... JE VAIS DESCENDRE, D'ACCORD ?

ET EN PLUS IL NE PLEUT PLUS ! AU REVOIR, MONSIEUR FANTOMAS !

CLAK !

PARDON.

JE NE SAIS PAS OÙ VOUS ALLEZ, MAIS FAITES ATTENTION, ELLE A QUELQUE CHOSE DE BIZARRE, CETTE VOITURE...

NE M'EN PARLEZ PAS, JE VIENS DE LA POUSSER PENDANT DEUX KILOMÈTRES SOUS LA PLUIE.

ET LÀ, J'AI VRAIMENT BESOIN DE ME REPOSER.

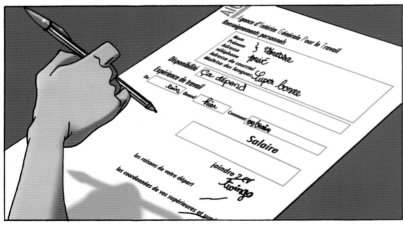

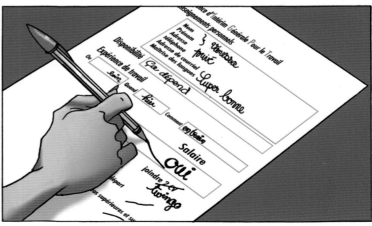

MEILLEUR CHOIX

BONJOUR, VOUS AVEZ FAIT VOTRE CHOIX ?

ALORS, OUI, ON VOUDRAIT COMMANDER À CE SERVEUR, LÀ.

LE CHOIX EST PAS FACILE, CE SOIR...

OBJECTIVE NULLE

BIEN, JE CROIS QUE VOUS CORRESPONDEZ PARFAITEMENT AU PROFIL QUE NOUS RECHERCHONS POUR LE POSTE.

IL EST TEMPS D'ABORDER LES SUJETS QUI FÂCHENT, VOTRE SALAIRE. QUELLES SONT VOS PRÉTENTIONS ?

QUOI ?

NON MAIS, VOUS VOUS ENTENDEZ, AVEC VOTRE PETITE CRAVATE DE RIEN, LÀ ? ON DIRAIT UN NOTAIRE ...

ALORS D'ACCORD, JE SUIS BLONDE, JE SUIS BIEN FOUTUE, J'AI LE SENS DE L'HUMOUR...

MAIS JE NE SUIS PAS PRÉTENTIEUSE !

SLAM !

COUCOU ! C'EST MOI !

TU VAS ÊTRE SUPER FIÈRE DE MOI !

MAIS JE SUIS TOUJOURS FIÈRE DE TOI, MA CHÉRIE...

C'EST VRAI ?

ET LÀ, ALORS ? POURQUOI JE VAIS ÊTRE FIÈRE DE TOI ?

AH OUI ! J'AI TROUVÉ UNE SUPER IDÉE POUR LE CONCOURS LÉPINE.

TU ME REPROCHES DE NE PAS LIRE ASSEZ...

VANESSA, TU SAIS QUE LES LIVRES, C'EST UNE PORTE OUVERTE...

BEN NON, JE L'AI REFERMÉE.

... SUR L'IMAGINATION.

C'EST VRAI, LES LIVRES C'EST BIEN, MAIS C'EST PLUS DIFFICILE À LIRE QUE LES BD OU QUE LES MAGAZINES PARCE QU'IL N'Y A QUE DES LETTRES QUI SE SUIVENT.

DES MOTS.

NON, LES MAUX DE TÊTE, ÇA VIENT APRÈS, QUAND ON A TROP LU...

C'EST POUR ÇA QUE J'AI ÉCRIT UN LIVRE POUR APPRENDRE À LIRE !

C'EST BIEN, HEIN ? TU ES FIÈRE DE MOI ?

Le LivRe Pour Aprandre à Lire

UN LIVRE POUR APPRENDRE À LIRE... JE NE VOIS PAS VRAIMENT POURQUOI PERSONNE D'AUTRE N'Y A PENSÉ AVANT.

AH ! TU VOIS ! MON IDÉE EST GÉNIALE !

À MOI, LÉPINE !

MIRACLES !

OH, BONJOUR SONIA ! ÇA FAIT LONGTEMPS QU'ON NE S'EST PAS CROISÉES !

C'EST SÛR, AVEC L'ARRIVÉE DU PETIT DERNIER, J'AI ÉTÉ UN PEU OCCUPÉE.

C'EST GÉNIAL, ÇA T'EN FAIT COMBIEN MAINTENANT ?

MAIS... HEU... TU SAIS, LA CONTRACEPTION, ÇA EXISTE... TON MARI N'UTILISE PAS DE PRÉSERVATIF ?

AH, SI, JUSTEMENT, MAIS AVEC MOI, ÇA NE DOIT PAS MARCHER...

C'EST PEUT-ÊTRE PARCE QUE JE SUIS TRÈS CROYANTE. LE BON DIEU VEUT SÛREMENT QUE J'AI UNE FAMILLE NOMBREUSE.

TU VEUX DIRE QUE TON MARI UTILISE UN PRÉSERVATIF ?

OUI, OUI...

EXCUSE-MOI, MAIS VOUS AVEZ LU LE MODE D'EMPLOI ?

OH OUI ! C'EST LE MÊME LE PAPE QUI NOUS EXPLIQUÉ COMMENT FAIRE.

LE PAPE ?

SIX !

OUI, SA SAINTETÉ A DIT QU'IL FALLAIT METTRE LE PRÉSERVATIF À L'INDEX.

FORCÉMENT...

CANCRE

À LA PELLE

C'EST GÉNIAL, HEIN, CETTE RANDONNÉE AU GROËNLAND ! TU AVAIS L'AIR TELLEMENT CONTENTE QUAND JE T'EN AI PARLÉ LA PREMIÈRE FOIS !

BEN AU DÉBUT, J'AVAIS ENTENDU DISNEYLAND...

IL VA FAIRE NUIT BIENTÔT. IL FAUT QUE L'ON CREUSE ET QUE L'ON CONSTRUISE L'IGLOO.

C'EST TOUT DE MÊME UNE IMPRESSION EXTRAORDINAIRE, IL N'Y A PERSONNE À MOINS DE DEUX CENTS KILOMÈTRES ! TU TE RENDS COMPTE ?

TU TERMINES L'INTÉRIEUR ? JE VAIS INSPECTER UN PEU LES ALENTOURS.

D'ACCORD, SOIS PRUDENTE !

PLOUK PLOUK

QUI C'EST ?

Gaby+Zack

SUIVANT ?

BONJOUR, ALORS COMMENT TU T'APPELLES ?

HEU... VANESSA ?

C'EST UN PEU BIZARRE COMME NOM POUR UN CHIEN, NON ? POUR UNE CHIENNE, JE DIS PAS, MAIS...

AH, LUI... JE N'AVAIS PAS COMPRIS...

FAIT VOIR TES DENTS... BIEN...

CE... AHH !

VOUS M'AVEZ FAIT PEUR... CE CHIEN MANQUE D'EXERCICE. IL FAUT QU'IL COURE PLUS. VOUS JOUEZ À "VA CHERCHER", AVEC LUI ?

AH NON, ÇA, C'EST PAS POSSIBLE, FAUT PAS DIRE N'IMPORTE QUOI, NON PLUS...

HEU... POURQUOI ?

BEN, IL SAIT PAS LANCER LA BALLE...

J'AI ESSAYÉ, HEIN... JE SUIS PAS BÊTE, NON PLUS...

OH ! BONJOUR, MA CHÉRIE !

BONJOUR ! JE NE TE DÉRANGE PAS ?

NON, ENTRE ! JE PASSE UNE COMMANDE SUR LE CATALOGUE DES TROIS REDOUTES !

OUILLE.

BIZ BIZ

ILS ONT DES SUPERS APPAREILS DE MASSAGE POUR RAFFERMIR LE VISAGE...

HEU... VANESSA... TU ES SÛRE QU'ILS SONT... ENFIN... POUR LE VISAGE... TU SAIS... NON, RIEN...

VANESSA...

... QU'EST-CE QUE TU AS FAIT ?

J'AI FAIT COMME ILS DISENT DANS LA PUBLICITÉ.

"AVEC LES TROIS REDOUTES, C'EST SIMPLE, COMMANDEZ LES YEUX FERMÉS !"

EH BEN, C'EST PRESQUE DE LA PUBLICITÉ MENSONGÈRE, PARCE QUE C'EST PAS SI SIMPLE QUE ÇA, EN FAIT.

ET J'AI AUSSI ESSAYÉ EN FERMANT LES RIDEAUX, C'EST PAREIL...

SÉVICES COMPRIS

JE LUI AI DEMANDÉ LE DOSSIER DIX FOIS. AU FINAL, J'AI ÉTÉ OBLIGÉE DE ME DÉPLACER POUR LUI PRENDRE DANS SON BUREAU.

COMME ON DIT, ON EST JAMAIS AUSSI BIEN SERVI QUE PAR SOI-MÊME.

ALORS ÇA, C'EST PAS TOUJOURS VRAI.

COMMENT ÇA ?

BEN OUI, SE SERVIR SOI-MÊME DANS UN FAST FOOD OU UN SELF, ÇA MARCHE, MAIS DANS UN GRAND RESTAURANT, ILS APPRÉCIENT MOYEN.

À MOITIÉ, JUSTE À MOITIÉ

ET IL ME DIT, ÇA MANGE PAS DE PAIN. ET JE LUI DIS, BEN SI, LES OISEAUX. JE L'AI SCOTCHÉ, JE CROIS, IL S'ATTENDAIT PAS À UNE RÉPONSE AUSSI RAPIDE ...

J'ESPÈRE QUE LE RESTE DE TON ENTRETIEN S'EST BIEN PASSÉ... AH, VOILÀ MON BUS...

ALLEZ, JE VIENS AVEC TOI...

VANESSA, TU PRENDS PAS LE 22, D'HABITUDE ?

OUI, MAIS C'EST BON, C'EST LE 44, JE DESCENDRAIS À MI CHEMIN !

MALIN, HEIN ?

IMPARABLE.

29

RENCONTRE COSMIQUE

HOUHOU, PAMELA !

OH ! CINDY ! ATTENDS ! JE TE REJOINS !

D'ACCORD, MOI AUSSI !

BEN, OÙ ELLE EST ?

BEAUCOUP PLUS TARD...

OH BEN, ON A FAILLI PAS SE RETROUVER, HEIN... ?

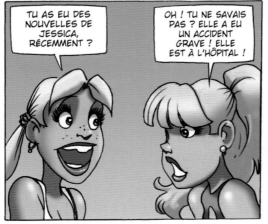

TU AS EU DES NOUVELLES DE JESSICA, RÉCEMMENT ?

OH ! TU NE SAVAIS PAS ? ELLE A EU UN ACCIDENT GRAVE ! ELLE EST À L'HÔPITAL !

AH, BEN TANT MIEUX !

JE CROYAIS QU'ELLE ÉTAIT FÂCHÉE CONTRE MOI...

TRAIN TRAIN QUOTIDIEN

HYGIÈNE

TSSS TSSS, ÇA VA ALLER.

ÇA NE SE CALME PAS, J'APPELLE LE PÉDIATRE.

ALLO ? DOCTEUR ?

OUI ?

C'EST... HEU... C'EST CINDY ! MON BÉBÉ N'ARRÊTE PAS DE PLEURER APRÈS LE BIBERON !

AH ? EXPLIQUEZ-MOI ÇA... LE LAIT DU BIBERON N'EST PAS TROP CHAUD ?

NON, DOCTEUR, MAINTENANT, JE LE TESTE BIEN AVANT DE LUI DONNER ET IL NE PLEURE PLUS PENDANT, MAIS APRÈS.

D'ACCORD, JE NOTE, VOUS AVEZ ACHETÉ LE LIVRE DONT JE VOUS AI PARLÉ ?

OUI, DOCTEUR, J'AI TOUT LU, MÊME SI PARFOIS C'ÉTAIT UN PEU DIFFICILE. QUAND IL N'Y A PAS D'IMAGES, C'EST PLUS...

ET VOUS SUIVEZ BIEN TOUS LES CONSEILS DU LIVRE ?

BIEN SÛR ! ALORS EN PAGE 69, C'EST ÉCRIT, JE CITE " QUAND LE BÉBÉ A FINI SON BIBERON, IL FAUT LE LAVER À L'EAU BOUILLANTE ET NETTOYER L'INTÉRIEUR AVEC UN GOUPILLON."

OUI, C'EST UN EXCELLENT CONSEIL D'HYGIÈNE.

C'EST PEUT-ÊTRE BON POUR L'HYGIÈNE, MAIS MON BÉBÉ N'APPRÉCIE PAS DU TOUT LE TRAITEMENT.

LES MINI BLONDES BONNET DE BAIN

TATA, TATA, JE PEUX ALLER CHEZ GAËLLE ET KARINE ? ELLES ONT UNE PISCINE CHEZ ELLES !

VOUS N'ALLEZ PAS ATTRAPER FROID ? C'EST UNE PISCINE COUVERTE ?

C'EST PAS GRAVE TATA : MOI JE SERAI COUVERTE !

À L'INDEX

J'AI TROUVÉ UNE IDÉE GÉNIALE POUR LE CONCOURS LÉPINE !

AH OUI, QUOI ?

UN DICTIONNAIRE, C'EST PRATIQUE, MAIS PARFOIS, C'EST DIFFICILE DE TROUVER UN MOT !

HEU... VANESSA... IL SUFFIT DE CONNAÎTRE L'ORTHO...

ALORS JE ME SUIS DIT, IL MANQUE QUELQUE CHOSE ! ET J'AI TROUVÉ !

IL MANQUE UN INDEX ! REGARDE ! EN FACE DE CHAQUE MOT IL Y A LA PAGE DANS LE DICTIONNAIRE !

ESSAYE !

DÉBILE, PAGE 649...

TU VOIS, ÇA MARCHE !

AVEC ÇA, JE SUIS SÛRE DE GAGNER ! À MOI, LÉPINE !

PLONGÉE PROFONDE

AH, TU ES LÀ...

OH MA CHÉRIE, COMME TU T'ES FAIT ÇA ?

C'ÉTAIT HIER PENDANT LE STAGE DE PLONGÉE...

TU T'ES COGNÉE CONTRE UN ROCHER ?

NON...

UN REQUIN T'A ATTAQUÉE ?

NON, C'ÉTAIT JUSTE AU DÉBUT.

LA THÉORIE, C'EST BON, MAINTENANT, PASSONS À LA PRATIQUE. ÉQUIPEZ-VOUS !

ET QUAND VOUS ÊTES PRÊTS À VOUS JETER À L'EAU, N'OUBLIEZ PAS, PLONGEZ EN ARRIÈRE, MÊME LES BLONDES !

VANESSA, TU PLONGES EN PREMIER.

HMM HMM !

ET ALORS ?

OUI ?

BEN TU VOIS, QUAND IL DISAIT QU'IL FALLAIT PLONGER EN ARRIÈRE...

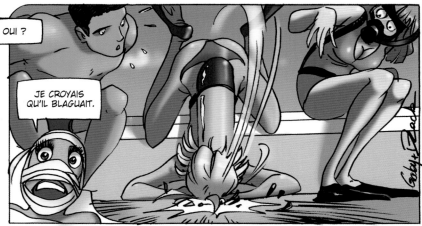

JE CROYAIS QU'IL BLAGUAIT.

URGENCES

GO GO GO ! ON SE DÉPÊCHE !

JEUNE FEMME, CONSTANTES NORMALES. ELLE FAISAIT LA CUISINE QUAND ELLE S'EST COUPÉE.

EN FAISANT UNE SOUPE À LA TOMATE.

ON A PRÉFÉRÉ L'AMENER D'URGENCE ICI PLUTÔT QUE D'ESSAYER DE FAIRE LE TRI.

JE DOIS VOUS POSER QUELQUES QUESTIONS POUR DÉTERMINER VOTRE ÉTAT.

D'ACCORD, J'ADORE LE JEU DES QUESTIONS !

QUEL JOUR SOMMES-NOUS ?

FACILE ! VENDREDI !

À MOI ! QU'EST-CE QUI A DES GRANDES OREILLES ET QUI APPORTE LE COURRIER ?

QUOI ?

JE NE SAIS PAS, MOI, UN ÉLÉPHANT FACTEUR, MAIS...

GAGNÉ ! UN PARTOUT ! À VOUS !

MADEMOISELLE, C'EST IMPORTANT...

BEN OUI, C'EST IMPORTANT, ON EST À ÉGALITÉ !

VOUS POUVEZ ME DONNER LE NOM DU MÉDECIN QUI VOUS SUIT ?

PFF, ELLE EST DURE CELLE LÀ...

TOUT DANS LA TÊTE

DROPZONE

L'AVION VA S'ÉCRASER ! CHACUN POUR SOI !

FAISONS LE COMPTE. LE PILOTE VIENT DE SAUTER, IL NOUS RESTE TROIS PARACHUTES ET NOUS SOMMES QUATRE...

PFFF, IL COMMENCE MAL, LE WEEK-END DE CAMPING...

NOUS N'AVONS QU'À TIRER À LA COURTE PAILLE.

PAS QUESTION !

IL N'EST PAS QUESTION QUE JE JOUE MA VIE À LA COURTE PAILLE !

FAITES CE QUE VOUS VOULEZ AVEC VOS PAILLES, MAIS MOI, JE SAUTE !

DONNE-MOI ÇA, TOI !

MAIS, NON... C'EST...

C'EST RIEN DU TOUT ! ON VA PAS DISCUTER PLUS LONGTEMPS ! ET SI VOUS N'ÊTES PAS CONTENTES, VOUS POURREZ TOUJOURS PORTER PLAINTE, APRÈS !

MAIS, NE FAITES PAS ÇA !

LAISSE... ON TROUVERA UNE SOLUTION !

VOUS N'AVEZ QU'À VOIR ÇA COMME DE LA SÉLECTION NATURELLE !

TIENS... IL RESTE ENCORE TROIS PARACHUTES... ON S'EST TROMPÉES EN COMPTANT ?

TU SAIS, VANESSA, CES GENS-LÀ, ILS NE L'EMPORTENT JAMAIS AU PARADIS...

BEN, JE PRÉFÈRE, PARCE QUE POUR RÉCUPÉRER MON SAC À DOS, LE PARADIS, C'EST UN PEU LOIN...

SÉLECTION NATUREEEEEELLE !

Graby + Zack

37

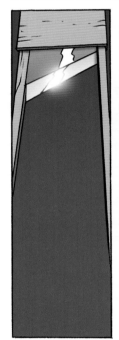

© MC PRODUCTIONS / GABY / DZACK
Soleil Productions
15, Boulevard de Strasbourg
83000 Toulon - France

Bureaux parisiens
25, Rue Titon - 75011 Paris - France

Réalisation graphique : Studio Soleil

Dépôt légal : Septembre 2007 - ISBN : 978 - 2 - 84946 - 964 - 4
Première édition

Tous droits de traduction, d'adaptation
et de reproduction strictement réservés pour tous pays.

Impression et reliure : PPO - Pantin - France